La Reine Chipie Chipie

Alex Sanders

GALLIMARD JEUNESSE GiBOULÉES

Il était une fois une petite rouquine, toute mignonne avec ses taches sur le nez et ses boucles dorées.
De prime abord, la Reine Chipie Chipie était absolument délicieuse. Mais ce petit sourire qu'elle avait en coin, infiniment coquin, et qui lui donnait l'air malicieux, laissait entrevoir le vilain petit caractère d'une royale enquiquineuse.

Pour tout dire, la Reine Chipie Chipie
avait tous les défauts du monde.
Capricieuse, crâneuse, boudeuse,
cafteuse, tricheuse, chipeuse !
Fieffée menteuse, mauvaise joueuse…
c'était la reine des emberlificoteuses !
Mais elle savait se montrer si câline,
si mielleuse, la petite féline, que
Sa Majesté était adorée.

Il faut dire qu'elle avait un très
très beau château !
« Il est somptueux, mon Château
Parfait ! » disait-elle sans se vanter.
En fait, c'était un vrai magasin
de farces et attrapes ! Truffé de poil
à gratter ! Et il y avait partout des
trappes que la reine actionnait à l'aide
de petites manettes, pour envoyer
tout le monde aux oubliettes !

La reine était très mondaine : « Venez chez moi ce week-end ! » était sa rengaine. Elle lançait mille invitations, mais quand ses convives arrivaient, elle faisait dire par les Loustics, ses domestiques : « La reine a la migraine ! » Et du haut de sa tour, tout en grignotant ses chips, elle regardait ses invités qui repartaient dépités, et ne se gênait pas pour leur lancer : « Revenez le week-end prochain ! »

Partout où elle passait, la Reine
Chipie Chipie semait la zizanie.
Un jour qu'elle était en visite chez
le Roi MiamMiam, elle tomba sur un
plat de chipolatas. « C'est le moment
de sortir mon soufflet à poivre »,
pensa-t-elle. Et deux minutes après
le pauvre roi se mit à hurler :
– Pouah ! Qui a poivré ce plat ?

Et la Reine Chipie Chipie de dénoncer
le Roi ZinZin qui passait par là :
– C'est pas moi, c'est lui ! Je l'ai vu,
je l'ai vu !
Ce qui déclencha une dispute entre
les deux rois, qui dégénéra rapidement
en bataille de saucisses.

Pour rabibocher les deux rois fâchés,
Son Impertinence proposa un grand
bal. Mais ce soir-là, quand elle vit
la Reine Jolie Jolie, elle devint folle
de jalousie. Elle fit semblant
de trébucher et renversa son sirop
de menthe – splash ! – sur la robe
éblouissante de la belle souveraine !
– Oups ! Quelle tache affreuse !
Je suis vraiment désolée ! s'excusa
la reine des chipies.

Un peu plus tard, la Reine BisouBisou
lui confia qu'elle était amoureuse :
« Je donnerais tout mon royaume
pour que le Roi BoumBoum me
prenne dans ses bras ! » Évidemment
la Reine Chipie Chipie découvrit
qu'elle aussi avait un petit faible
pour le roi. Elle prétexta une crampe
au mollet juste au moment où
il passait… La Reine BisouBisou
en eut le cœur chaviré !

On fit venir d'urgence les sels de
Sa Tendre Majesté… La Reine Chipie
Chipie y ajouta du poivre ! Ce fut
une fois de trop ! Car rois et reines
de tous les royaumes en avaient
largement assez de cette petite peste
et de son caractère de chameau !
Ils décidèrent de lui faire la guerre.

Les Loustics informèrent leur souveraine
de ce qui se tramait contre elle :
– Une armée de cent mille soldats
se dirige sur notre beau château,
Votre Majesté. Ils vont nous assiéger !
– Certainement pas ! s'esclaffa la reine,
qui avait plus d'un tour dans son sac.
Il suffit d'inverser le sens des panneaux !
Et tous les soldats se retrouvèrent au
Château KipuKipu du Roi PipiCaca !

Pour venir à bout de cette petite pimbêche, il ne restait plus que la Reine PanPanCuCu ! On lui demanda d'intervenir, de bien vouloir sévir ! Mais quand elle arriva pour la punir, la Reine Chipie Chipie se fit toute mielleuse. Sage comme une image, elle proposa à la reine un goûter, un massage des doigts de pied pour bien la relaxer…

… et elle réussit à s'en faire une copine ! Malheureusement pour elle, car la Reine PanPanCuCu s'installa tout le week-end au Château Parfait ! « Impossible de s'en dépêtrer », maugréait la Reine Chipie Chipie, obligée pour une fois de se tenir à carreau ! Mais cela valait toujours mieux qu'une bonne fessée !

Les Rois

ZinZin

MiamMiam

DoDo

BoumBoum

BéBé

CraCra

CrokCrok

HiHiHaHa

PipiCaca

DouDou

Kipik Kipik

Hardi ! Hardi !

NonNon

FootFoot

PoiluPoilu

Magic Magic

FilouFilou

PoliPoli

TrucTruc

PaPa

PapyPapy

SuperSuper

QuoiQuoi

NouilleNouille

NoëlNoël

PinponPinpon

VroumVroum

RETROUVEZ TOUS LES ALBUMS
LES ROIS LES REINES **EN GRAND FORMAT**

Les Reines

 CacheCache
 BoBo
 GuiliGuili

 Hou! Hou!
 JouJou
 BisouBisou
 MiniMini
 PanPanCuCu
 BonBon

 Jolie Jolie
 Plouf Plouf
 Vilaine Vilaine
 TuTu
 ProutProut
 ChocoChoco

 Chipie Chipie
 ChouChou
 BaBa
 RoseRose
 BlaBla
 MamieMamie

 MamanMaman
 MaîtresseMaîtresse
 TicTacTicTac
 JalouseJalouse
 YoupiYoupi
 NeigeNeige

Les Rois   Les Reines

Gallimard Jeunesse Giboulées. Sous la direction de Colline Faure-Poirée et Hélène Quinquin
© Gallimard Jeunesse, 2018. ISBN: 978-2-07-510226-1 · Dépôt légal : mai 2018 · N° d'édition: 331562
Loi n° 49-956 du 16 juillet 1949 sur les publications destinées à la jeunesse · Imprimé en Chine